Dedicado a William Moulton Marston,
Harry Peter y a todos aquellos inspiradores escritores y artistas que a lo largo de los años han hecho eterna a Wonder Woman.

Y también a Lynda Carter que gentilmente le dio vida a la Princesa Amazona y mantuvo a tantas familias pegadas al televisor cada miércoles por la tarde.

Y lo más importante, a mis maravillosas princesas, mis hijas, Bella y Sofía.

Published by VIKING, Penguin Group
Penguin Young Readers Group, 345 Hudson Street, New York, New York 10014, U.S.A.

C/ Laurel, 23. 1º. 28005. Madrid.
www.edicioneskraken.com

ISBN: 978-84-92534-63-0
Depósito legal: M-14481-2014
IBIC: FX/YB

R06050 21510
WONDER WOMAN™
ORIA DE LA PRINCESA AMAZONA
ESCRITO E ILUSTRADO POR
RALPH COSENTINO
WONDER WOMAN CREADA POR WILLIAM MOULTON MARSTON

ESCONDIDA EN LAS NUBES, LA ISLA PARAÍSO ES EL HOGAR SECRETO DE LAS MUJERES GUERRERAS CONOCIDAS COMO AMAZONAS.

AQUÍ NACÍ YO...

PUEDO LLAMAR
A MI JET INVISIBLE
CON MI MENTE.

CUANDO LA GENTE TIENE PROBLEMAS, ME LLEVA DONDE ME NECESITAN. ¡¡RÁPIDAMENTE!!

EL HIELO QUE RODEA EL IGLÚ DE ESTA FAMILIA DE ESQUIMALES SE ESTÁ DERRITIENDO MUY DEPRISA. ¡ESTÁN EN GRAVE PELIGRO!

ME ALEGRA PODER LLEVARLES A UN LUGAR SEGURO.

AYUDO A HACER DEL MUNDO UN LUGAR MEJOR PARA TODOS. YO SOY...
Wonder Woman

MI HISTORIA EMPIEZA HACE MUCHO, MUCHO TIEMPO...

LOS DIOSES GRIEGOS VIVÍAN ARRIBA EN EL CIELO, EN EL MONTE OLIMPO. PARA TRAER GLORIA Y PAZ A LA TIERRA, ELLOS CREARON A LAS MUJERES AMAZONAS. LOS DIOSES TAMBIÉN CREARON LA ISLA PARAÍSO...

LA REINA AMAZONA, HIPÓLITA, QUERÍA UNA HIJA, ASÍ QUE LOS DIOSES LE DIJERON QUE CREARA UN BEBÉ DE ARCILLA. ELLOS ME DIERON LA VIDA Y ME OTORGARON SUS PODERES ESPECIALES.

MI MADRE ME LLAMÓ PRINCESA DIANA... CRECÍ DEPRISA CON LA FUERZA DE HÉRCULES...

HÉRCULES,
DIOS DE LA FUERZA
Y EL CORAJE.

LA RAPIDEZ DE HERMES...

ATENEA,
DIOSA DE LA
SABIDURÍA.

Y LA BELLEZA DE AFRODITA.

AFRODITA,
DIOSA DEL AMOR
Y LA BELLEZA.

EN MI JUVENTUD ME CONVERTÍ EN UNA DE LAS MEJORES ATLETAS DE LA ISLA PARAÍSO. PERO PRONTO ESTO FUE PUESTO A PRUEBA. ARES, EL REY DE LA GUERRA, DECIDIÓ QUE QUERÍA GOBERNAR EL MUNDO.

ZEUS, EL REY DE LOS DIOSES, PROTEGÍA A LAS AMAZONAS, PERO LES PIDIÓ QUE HICIERAN UNA COMPETICIÓN Y QUE ELIGIERAN A ALGUIEN QUE PUDIERA DEFENDER AL RESTO DE LA HUMANIDAD DE ARES.

MI MADRE, LA REINA DE LAS AMAZONAS, SABÍA QUE SI ERA YO QUIEN GANABA TENDRÍA QUE DEJAR LA ISLA. COMO NO QUERÍA QUE ESTO PASARA ME PROHIBIÓ PARTICIPAR EN LA COMPETICIÓN. PERO CON LA AYUDA DE UNA MÁSCARA PARTICIPÉ EN SECRETO.

MI PRIMER DESAFÍO FUE EL LANZAMIENTO DE JABALINA.
USANDO TODA MI DESTREZA LA LANCÉ MÁS LEJOS QUE NADIE.

UNA CARRERA CON EL MEJOR CABALLO DE LAS AMAZONAS ME MANTUVO EN LA COMPETICIÓN.

EL SIGUIENTE RETO REALMENTE PUSO A PRUEBA MI FUERZA...

PERO FUI CAPAZ DE DERROTAR A LA MÁS DURA DE LAS GUERRERAS.

Chiiing

Chiiing

EL ÚLTIMO DESAFÍO FUE EL MÁS DIFÍCIL. CUANDO LAS FLECHAS VENÍAN HACIA MÍ, LOGRÉ DESPEJARLAS CON MI BRAZALETE MÁS RÁPIDO QUE NINGUNA Y GANÉ LA COMPETICIÓN.

MI MADRE NO PODÍA CREER QUE YO FUERA LA GANADORA, PERO TAMBIÉN ESTABA MUY ORGULLOSA. ELLA ME CONCEDIÓ UN TRAJE ESPECIAL, UNOS BRAZALETES DE PLATA IRROMPIBLES Y UN "LAZO DE LA VERDAD" HECHO DE ORO PARA PODER LUCHAR MEJOR CONTRA ARES.

A LO LARGO DEL TIEMPO, MI MISIÓN SE CONVIRTIÓ EN ALGO MÁS QUE LA LUCHA CONTRA ARES. ME CONVERTÍ EN LA PRINCESA DIANA, EMBAJADORA EN WASHINGHTON D.C., PERO SI GIRO MUY RÁPIDO ME CONVIERTO EN LA DEFENSORA EN LA TIERRA CONTRA TODAS LAS FUERZAS DEL MAL. ALUCINADOS POR MIS PODERES, LA GENTE ME LLAMA...

¡Wonder Woman!

SER LA DEFENSORA DE LA PAZ EN LA TIERRA CONLLEVA TENER MUCHOS ENEMIGOS...

¡Ares!

¡SMASH!
¡EL DIOS DE LA GUERRA NO PUEDE
CONTRA MI GRAN FUERZA!

¡Cisne plateado!
¡SKREEEE!

¡NI SIQUIERA EL PODER DE VOLAR PODRÁ LIBRAR A ESTE PÁJARO DE SER ATRAPADO!

¡Cheetah!

¡CHIIING!
LAS AFILADAS GARRAS DE ESTA GATA MALVADA NO ARAÑARÁN A ESTA PRINCESA DE LAS AMAZONAS.

¡Circe!

CIRCE NO ES PROBLEMA PARA EL LAZO DE LA VERDAD, QUE HACE QUE ESTA PERVERSA BRUJA SEA CONSCIENTE DE SUS TERRORÍFICAS INTENCIONES.

MI MISIÓN ES ENSEÑAR EL RESPETO A TODOS Y MANTENER LA PAZ...

Y MOSTRAR AL MUNDO CÓMO VIVIR
EN ARMONÍA CON LA NATURALEZA.

SOY UNA PRINCESA AMAZONA, ENCARGADA DE SALVAR A LA HUMANIDAD Y UNIRLA GRACIAS AL AMOR Y LA BONDAD.

YO SOY...
Wonder Woman